POCHE

JE ME SOUVIENS…

BORIS CYRULNIK

JE ME SOUVIENS…

Odile Jacob

poches

© Odile Jacob, « Poches », mars 2010

15, rue Soufflot, 75005 Paris

www.odilejacob.fr

ISBN : 978-2-7381-2471-5

ISSN : 1621-0654

« Impossible de revivre dans cette ville ;
toutes les rues sont bloquées par mes
chagrins d'enfant, par les souvenirs de
mes joies pires que ceux de mes
tristesses. »

François Mauriac,
Bordeaux.

L'exil de l'enfance

Présentation de Philippe Brenot

En 1985, après plus de quarante ans, Boris Cyrulnik revient à Bordeaux, la ville de son enfance. Tel Mauriac en exil à Paris, ne revenant à Bordeaux qu'à son jubilé, à l'âge de quatre-vingts ans car, disait-il, toutes les rues sont « bloquées par mes chagrins d'enfant », Boris Cyrulnik fait ce retour « lucide » sur lui-même pour mieux comprendre les stratégies d'adaptation que met en œuvre la mémoire afin que le passé redevienne accessible.

Boris Cyrulnik est né à Bordeaux en 1937, de parents juifs polonais. Son père, ébéniste, s'engage dans la Légion comme de nombreux juifs européens. Il sera blessé au combat avant d'être arrêté en 1942 et déporté vers Auschwitz, comme son épouse, résistante, un an plus tard. Boris, qui n'avait plus son père depuis 1939, date de son départ au front, ne le reverra qu'une seule fois, au camp de Mérignac, en 1942. Le reste de la famille s'étant également engagé dans la Résistance, ils disparurent presque tous. Première séparation, brutale et traumatique : en juillet 1942, Boris n'a que cinq ans, il est seul au monde, confié par sa mère à l'Assistance publique la veille de son arrestation. Il connaîtra alors plusieurs familles d'accueil dont un placement en milieu rural avec d'autres enfants, à Pondaurat.

En 1943, il est recueilli par Marguerite Farges, une institutrice qui le prend sous sa protection et le sort de l'Assistance. Enseignante à Lannemezan, Margot se voit obligée de confier Boris à sa propre mère, qui vit à Bordeaux et va le cacher pendant près d'un an, jusqu'à son arrestation sur dénonciation, le 10 janvier 1944. Conduit avec d'autres juifs à la synagogue, il réussira à s'en évader en se cachant puis en disparaissant grâce à la complicité d'une infirmière. Ainsi, à plusieurs reprises, échappera-t-il à l'arrestation, à la déportation, à la mort, par une capacité de rébellion et de non-soumission qu'il retrouve aujourd'hui chez des enfants confrontés, comme lui, à des situations extrêmes.

L'enfant Boris, puis l'adulte qu'il deviendra, cultivera l'humour, l'ironie, la dérision pour ne pas mêler le rappel de la souffrance à la pensée consciente. « On m'a toujours aidé parce que je passais mon temps à faire le pitre ! », confie-t-il avec un sourire. Et ne dit-il pas, dans *Les Vilains Petits Canards*, que certains enfants « contraints à la métamorphose » s'en sortent parce que, privés de leurs parents, ils inspirent aux autres l'envie de les aider ? Ainsi, les traumatismes de la petite enfance, s'ils peuvent être formidablement destructeurs, peuvent aussi éveiller des stratégies de survie que nous possédons dans notre mémoire ancestrale.

Boris Cyrulnik est revenu pour la première fois à Bordeaux en 1985 et à Pondaurat en 1998. Dix ans plus tard, il fait un réel « retour sur lui-même » dans ces lieux de son enfance. C'est à cette occasion qu'il nous livre cette réflexion sur la mémoire, sur les stratégies d'adaptation, sur le retour traumatique du souvenir, sur le formidable travail qui s'effectue en nous dans les moments les plus difficiles que nous pouvons être amenés à vivre.

Ce texte reprend les minutes de la venue de Boris Cyrulnik à Pondaurat et à Bordeaux, les 1er et 2 septembre 2008. Il met par instants en scène un interlocuteur non mentionné qui, en général, est Philippe Brenot. Les propos de l'interlocuteur sont alors signalés par un tiret en début de phrase.

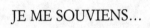

JE ME SOUVIENS…

> « Un enfant n'a jamais les parents dont
> il rêve. Seuls les enfants sans parents ont
> des parents de rêve. »
>
> BORIS CYRULNIK,
> *Les Nourritures affectives.*

Je me souviens… C'était près de chez moi, rue de la Rousselle, il y avait une grande porte, une sorte d'arc de triomphe et, venant du pont de la Garonne, l'armée allemande qui défilait. Je les trouvais très beaux avec leurs uniformes, leurs chevaux, il y avait aussi de la musique. Comme elle ne pouvait pas passer sous la porte, la troupe se séparait en deux puis se reformait juste après. Je trouvais ça tellement beau que je ne comprenais pas pourquoi tout le monde pleurait autour de moi. *C'était l'entrée des Allemands à Bordeaux.*

J'ai vécu un paradoxe : pour moi, enfant de cinq ans, ce jour était un jour de fête, un jour magnifique, tandis que tous les adultes vivaient un cauchemar. La mémoire traumatique est très particulière. Ce n'est pas une mémoire normale. Elle transforme, elle amplifie, elle minimise. Au plus profond de nous, il existe une trace extrêmement précise – plus encore que les archives –, mais ensuite, pour rendre cohérent le souvenir, on arrange le pourtour. On prend bien conscience de cela dans le cas d'un traumatisme. S'il y a trauma, c'est que le réel est invraisemblable, que les événements défient l'humanité. Alors, pour rendre le trauma cohérent, reviennent des souvenirs extrêmement précis, la couleur, le mot, le son, l'odeur, gravés dans le marbre et, autour d'eux, un halo imprécis d'arrangement du souvenir.

Pondaurat

Pendant des années, un mot remontait de ma mémoire : Pont Dora. Ça m'étonnait beaucoup, ce mot qui revenait tout le temps. Ça m'intriguait surtout à cause de « Dora », qui est le nom de ma mère d'accueil, celle qui m'a accompagné après la guerre et qui m'a, en grande partie, élevé. Pendant très longtemps, j'ai pensé que c'était un pont qui devait lui appartenir, puisqu'il portait son nom. Mais ça ne collait pas, car j'y associais le souvenir d'une ferme où j'avais vécu. Pendant des mois après mon évasion, et jusqu'à la fin de la guerre, j'ai connu dix ou quinze familles d'accueil, institutions, mais celle-là, je me la rappelais plus précisément. Je me souvenais que j'étais chez une fermière avec d'autres enfants, qu'elle gagnait un peu d'argent en gardant ces gosses de l'Assistance qu'elle faisait travailler. Mais je n'avais que sept ans et je ne devais pas être très rentable ! Donc, je me rappelais du nom du lieu, mais je ne savais ni ce qu'était ce « pont » ni où il était.

Un jour, j'en ai parlé à Philippe B. qui, pendant ses études de médecine, était un bon jazzman et se souvenait avoir fait danser les gens à Pondaurat. Il m'a alors appris que c'était un village proche de Langon. « Si tu veux, poursuivit-il, je sais où c'est, je peux t'y emmener. » C'est ainsi que mes retrouvailles avec Pondaurat se sont faites en 1998, et c'est assez émouvant parce que, pour moi, c'est le seul endroit « vrai » qui a suivi la période de mon évasion, période de chaos puisque j'étais traqué, pourchassé – j'ai été arrêté une seconde fois à Castillon-la-Bataille – et que je devais rallier des institutions dans la nuit en franchissant des barrages de l'armée allemande. Je me souviens par exemple avoir été enfermé dans un sac de pommes de terre avec la peur qu'il ne soit ouvert lors du franchissement d'un barrage. Je me souviens aussi avoir été refusé à la porte d'un orphelinat par une religieuse qui criait, disant que ma présence mettrait en danger les autres enfants. Je me souviens encore avoir fui une institution, encapuchonné, afin que les autres enfants ne me reconnaissent pas. Tout ceci est une « histoire folle », donc pas racontable pour un enfant de six ou sept ans. Par la suite, j'ai eu des flashs de ces moments terribles, mais seulement des flashs. Tandis que là, avec Pondaurat, pour la première fois, j'avais un élément de vérité, grâce aux bals populaires et grâce à Philippe.

Les retrouvailles

Après un premier mais bref retour à Pondaurat en 1998, Boris et Philippe y reviennent une deuxième fois, en septembre 2008, à la recherche de la ferme où a vécu Boris, retrouvée dix ans plus tôt.

Je me souviens de la grange où l'on n'avait pas de chambre. On dormait sur des bottes de paille. Comme toutes les granges de la région, c'était un grand hangar en bois noir attenant à la maison. On n'avait pas de lit, on dormait sur la paille. Mais il y avait une fille qui, elle, dormait dans un lit. Et je pensais qu'elle avait ce privilège parce qu'elle était une fille. Alors j'en ai conclu qu'il en était ainsi dans la vie : les filles dorment dans des lits et les garçons sur la paille. Je n'ai pas beaucoup changé d'opinion depuis. En réalité, j'ai appris, il n'y a pas très longtemps, qu'elle était la fille de la métayère, c'est pourquoi elle avait une chambre.

Au centre du village, il y avait une école. Voilà, elle est là ! Cette école, je m'en souviens, mais je n'avais pas trop le droit d'y aller. La ferme doit être plus haut, puisqu'on descendait pour aller à l'école. Je me rappelle ce pont... et puis ce chemin...

La première fois, quand on y est revenu, on avait monté ce chemin. Je t'avais raconté que ma fonction dans cette ferme, c'était de « compter les moutons, garder un âne et tirer l'eau du puits, tôt le matin ». Or je ne savais pas compter. Mais « le Grand », qui était comme moi un garçon de l'Assistance, rentrait tous les soirs et disait « 80 ! ». Alors, quand il est parti et que j'ai eu à garder les moutons, j'ai fait comme lui, je rentrais avec assurance et disais « 80 ! », jusqu'au jour où un ouvrier agricole a vérifié : il n'y en avait pas 80 ! Je ne savais pas où étaient les moutons disparus, mais je l'ai senti passer.

Je me souviens que j'avais très peur de l'âne, parce que, chaque fois qu'on voulait l'attraper, il cherchait à nous mordre et j'étais frappé par ses grandes dents jaunes. En fait, je me rappelle qu'on descendait en coursant l'âne lorsqu'il s'échappait. Et il partait toujours vers le village.

Ici, je me souviens très bien qu'on pêchait sur ce petit pont. Il y avait une pile sur laquelle on montait. On pêchait depuis le promontoire, même qu'un jour je suis tombé à l'eau et que j'ai failli me noyer. L'école doit être par là sur la droite. Je me rappelle aussi – ça me revient à l'instant – que la ferme était « à trois kilomètres » de Pondaurat.

Tu te souviens, on était entrés dans une maison où un vieux monsieur nous avait indiqué la métairie de Berthe et d'« Adèle la bossue ». Il y avait de grands joncs comme ça.

— Je pense que c'était au sommet d'une colline.

Ce n'est pas très facile de retrouver l'endroit, car les fermes sont toutes pareilles. Il y avait un puits où j'allais chercher de l'eau, mais toutes les fermes ont un puits ! Je me souviens bien de ce puits car, comme il n'y avait pas de protection, les gens me mettaient en garde : « Attention, ne te penche pas ! Les enfants peuvent tomber dans les puits. » Ce qui me faisait très peur, mais c'était certainement une manière de me protéger.

Il y a une grande ferme noire, là-bas, avec une petite maison de pierre dans l'alignement. C'est peut-être là ! Il doit bien y avoir trois kilomètres depuis le village... oui... c'est peut-être là.

— Tu sais, toutes les fermes se ressemblent.

Cette grande bâtisse noire... je crois qu'il y a un chemin qui y mène. C'est au sommet d'une colline, ça pourrait être là. Je me souviens encore de cette fille, Adèle, la bossue…

— Bonjour, madame, on cherche une ferme… avec une grange noire, une ferme tenue par une métayère qui s'appelait Berthe, elle avait une fille bossue, Adèle. C'était en 1940, pendant la guerre… Ça vous dit quelque chose ?

— Oui, je me souviens. Je connais la ferme, mais je pense qu'il n'y a plus personne… Vous voyez le monument aux morts, dans le village… et le pont… alors, vous tournez au pont et, de suite après, entre le monument et le pont, vous montez la côte. C'est là qu'ils habitaient.

C'est difficile, la mémoire et le rappel du souvenir. D'abord ma mémoire n'est pas fiable et ensuite les détails ne sont pas les mêmes que dans mon souvenir. Ici, par exemple, ces maisons n'existaient pas et la végétation a beaucoup poussé. Je me rappelle plutôt les formes et les volumes. Ça, ce n'est pas une forme dont je me souviens. Ici, le volume n'a pas changé. Tiens, ça pourrait être là. C'était vallonné comme ça… Oui, ça pourrait bien être là... et l'âne qui foutait le camp par là... Non ! C'est pas ça, non.

C'est difficile de rassembler les souvenirs en un ensemble cohérent. Je retrouve plutôt un patchwork d'où émergent des images très précises : des morceaux de vérités claires dans un ensemble flou, incertain.

Pitchoun

Dès le matin, mon travail à la ferme consistait à aller chercher l'eau. Mais c'était difficile pour un garçon de mon âge de sortir le seau du puits. Je devais me pencher et j'avais donc très peur de ce qu'on m'avait dit : « Ne t'approche pas de la margelle, sinon tu vas tomber ! » Et surtout qu'« il y avait des cadavres au fond du puits » ! La mort était banale pour moi à cette époque et j'avais clairement conscience d'avoir été condamné à mort parce que j'étais juif. Mais je ne savais pas ce que c'était qu'être juif. J'étais donc condamné à mort pour quelque chose que je ne connaissais pas.

Et puis, il y avait « le Grand », le grand de l'Assistance, celui qui avait quatorze ans. Contrairement aux adultes qui m'appelaient *Jean Laborde*, lui, il m'appelait *Pitchoun*, ce qui veut dire « petit » en gascon. J'aimais bien qu'il m'appelle *Pitchoun* et pas *Jean Laborde*, qui était le nom de la traque. *Pitchoun*, c'était le nom de l'amitié. Donc, « le Grand », qui savait compter les moutons, m'appelait *Pitchoun*, du nom de l'amitié.

En plus des gosses de l'Assistance, Berthe avait huit ou dix ouvriers agricoles. Et Adèle, sa fille, la bossue, était toujours humiliée par ces hommes un peu rudes. Je pense que l'humiliation, c'est beaucoup plus grave que les coups. Chaque soir, quand les ouvriers rentraient, Adèle devait s'accroupir pour leur retirer les sabots. C'était l'époque où on mettait de la paille à l'intérieur pour avoir chaud aux pieds et il était difficile de les retirer après une journée de travail. Je me souviens qu'en rentrant les ouvriers se laissaient tomber sur leurs chaises, ils tendaient le pied, Adèle attrapait le sabot et tirait de toutes ses forces. Alors le grand jeu pour ces hommes, quand elle avait du mal à tirer, c'était de lui mettre un pied sur la poitrine et, tout d'un coup, lorsque le sabot lâchait, de la pousser. Et elle partait en arrière, cul par-dessus tête. Ça les faisait beaucoup rire, mais, elle, ça l'humiliait profondément. Moi, ça me rendait malheureux pour elle, car ça lui faisait certainement bien plus mal psychiquement que physiquement.

Adèle ne parlait jamais. Moi, je la considérais comme une nantie, puisqu'elle avait une chambre avec un lit. Mais je crois, en réalité, qu'elle souffrait plus que moi. Les coups, ça ne fait mal que sur le moment, alors que l'humiliation, ça fait souffrir en permanence dans la représentation que l'on en a.

Sans famille

À l'époque, on ne parlait pas aux enfants, on les faisait travailler, c'était tout. Les seules fois où les adultes me parlaient, c'était le soir quand on me donnait du vin parce que, comme je faisais le pitre en buvant du vin rouge, ça les amusait beaucoup. À ce moment-là seulement, j'avais droit à la parole.

En ce temps-là, un enfant sans famille était un enfant sans valeur, un peu comme le sont encore certains en Asie aujourd'hui… c'est-à-dire qu'on ne vaut quelque chose que si l'on a des ancêtres, que si l'on sait d'où l'on vient. Surtout dans une culture de paysans.

Un enfant sans famille, on ne sait pas qui il est, ni d'où il vient. Un enfant sans famille, ça ne vaut rien. On ne nous adressait donc jamais la parole, on nous donnait seulement des coups, ce qui ne veut pas dire qu'on nous torturait. La torture, c'est l'intention d'humilier, de priver l'autre de la condition humaine en le faisant souffrir. Donner un coup en passant, ça fait mal, mais ce n'est pas une torture. De plus, nous, on était les gosses de l'Assistance, c'est-à-dire qu'on ne représentait pas grand-chose : pas de famille, pas de culture, pas de rentabilité au travail. On nous gardait par charité et pour un petit pécule. Quand, plus tard, dans une autre institution, j'ai compris que les gens qui m'hébergeaient touchaient de l'argent, ça m'a profondément libéré. S'ils gagnaient leur vie, je n'étais donc pas en dette avec eux. Par la suite, quand une gardienne me disait : « Ce que je fais pour toi, jamais ta mère ne l'aurait fait » (et on me l'a dit plusieurs fois !), ça ne me touchait pas beaucoup parce que je pensais : « Tu peux dire du mal de ma mère, mais, toi, je sais que tu fais ça pour de l'argent. » C'était normal et ça me libérait. D'autres enfants, par contre, qui s'étaient attachés à la gardienne, vivaient cette phrase comme une blessure, comme une trahison, parce qu'ils étaient pris dans une contradiction : « Quelqu'un que j'aime agresse ma mère. »

Alors, la voilà l'injustice : ce sont les contresens affectifs. On dormait sur la paille, on faisait les travaux des champs, on ne nous lavait pas, je pense même qu'on ne nous changeait jamais de vêtements. Ce qui fait que, à la fin de la guerre, lorsqu'une dame généreuse est venue me chercher pour s'occuper de moi pendant quelques jours, elle n'a pas pu s'empêcher de faire une grimace de dégoût en voyant combien j'étais sale. Et j'en ai voulu à cette dame car, pour la première fois de ma vie, je me suis senti sale. C'est son regard qui m'a fait prendre conscience de ma saleté. Avant elle, je ne l'étais pas. Je dormais par terre près de la fosse à purin, mais je ne me sentais pas sale. C'est le regard de cette dame généreuse qui m'a fait prendre conscience de mon état. Je lui en ai beaucoup voulu, alors qu'en définitive elle avait eu un bel élan envers moi.

L'émotion enfouie

> « Le paradoxe de la condition humaine,
> c'est qu'on ne peut devenir soi-même
> que sous l'influence des autres. »
>
> BORIS CYRULNIK,
> *Les Nourritures affectives.*

De cette époque, où j'étais dans une stratégie de survie, je n'ai aucun souvenir d'émotion. Or il est impossible que je n'en aie pas
eu ! Aujourd'hui encore, je me rappelle tous
ces détails sans émotion. Dans mon souvenir,
je n'ai que des images et des mots sans émoi.
J'ai beaucoup de difficultés à rappeler le
passé, car cela implique de faire revenir
l'« émotion enfouie ». C'est pour cela que je
n'arrive à parler de moi qu'à la troisième personne, pour cette raison que je ne peux faire
d'autobiographie qu'en semblant parler d'un

tiers. Il m'est facile de raconter les histoires de mes patients, de mes amis, je peux leur donner la parole. Mais parler de moi, c'est trop difficile, c'est retrouver l'« émotion enfouie ».

Si j'ai seulement des images comme souvenirs, c'est parce que, dans le même temps, j'ai vécu des émotions et qu'elles ont été déniées, peut-être même refoulées. Il ne me reste alors que les images et les mots sans émotion. Donc, si je peux parler de ce temps de l'enfance, c'est uniquement en donnant l'impression de vivre une enquête, de faire de l'archéologie mais, à la limite, je parle à peine de moi. C'est comme si je faisais une enquête archéologique sur quelqu'un qui, comme moi, s'appelait *Jean Laborde* à Pondaurat en 1944. En réalité, ce n'est pas tout à fait moi.

Nietzsche et Dostoïevski ont eu, eux aussi, des phénomènes d'autoscopie. Dostoïevski éprouva une grande angoisse un jour à Saint-Pétersbourg en rentrant chez lui. Il ouvrit la porte avec difficulté et se vit lui-même, assis sur son lit, en train de se regarder fixement. Quant à Nietzsche, regardant par la fenêtre, il se vit suivre un corbillard où gisait son propre corps. En fait, c'est toujours plus facile de parler des autres ou d'écrire des autobiographies à la troisième personne.

Qui étais-je alors ? Boris, Pitchoun, Jean Laborde ? Comme je viens de l'évoquer, « le Grand » m'appelait *Pitchoun*, ce nom affectueux que l'on donne aux enfants – et j'aimais qu'il m'appelle comme ça, car je sentais de l'estime passer dans ce mot. Tandis que *Jean Laborde*, c'était le nom de l'horreur, le secret qui sauve. J'étais ainsi obligé de m'amputer d'une partie de moi pour avoir le droit d'exister. Le problème, c'est qu'après la guerre, on continue à vivre comme on en a eu l'habitude, on continue à s'amputer de soi-même. C'est-à-dire que la fin de la guerre n'a pas été la fin du problème. Lorsqu'on a appris à se défendre, appris à survivre, on continue à le faire même quand il n'y a plus de raison, quand ça n'a plus de sens.

En fait, on n'arrête jamais la mémoire, bien qu'elle nous joue des tours. Elle est amusante, la mémoire. Alors, faire un peu d'archéologie avec toi, Philippe, c'est un jeu qui m'amuse beaucoup. Parce que, en réalité, tu me fais revivre ma préhistoire. Mais l'archéologie, ce n'est pas la vraie mémoire, c'est une mémoire maîtrisée dans laquelle il n'y a pas d'émotion. C'est comme quand on découvre un fait historique, lorsqu'on ouvre des archives. Par exemple, pour moi, ce serait d'apprendre que quelqu'un du village se rappelle du nom de celui qui me cachait pendant la guerre. C'est amusant, mais ce n'est pas vraiment moi. Ce n'est pas autobiographique.

Pendant très longtemps, j'ai renié cette partie de mon histoire, c'est-à-dire que je m'arrangeais pour « penser en avant ». « Ne regarde surtout jamais en arrière, parce que, si tu te retournes, c'est la guerre, c'est la mort, c'est l'horreur. » Ce procédé est un mécanisme de défense très efficace, mais terriblement coûteux. Je n'avais cependant pas le choix. Alors qu'aujourd'hui, où je suis libre, ce n'est pas le retour de la mémoire qui m'étonne, c'est la découverte d'un autre personnage, étrange, qui me ressemble, mais qui n'est pas vraiment moi.

Ce qui m'a redonné la parole, c'est le changement culturel des années 1980. Très schématiquement, de la fin de la guerre à 1985, il m'était impossible de parler de ce que j'avais vécu parce que les gens riaient de mon histoire et ne croyaient pas ce que je leur disais. Ce qui m'a vraiment amené à me taire pendant près de quarante ans, c'est la réflexion d'un homme qui m'a ainsi répondu : « Tu racontes de belles histoires, va t'acheter des bonbons ! » Alors, je me suis résigné : « Ce n'est pas la peine d'en parler. » Donc, pendant près de quarante ans, la culture a encouragé le déni mais, en 1985, changement culturel : la société a redonné la parole à quelqu'un qui, comme moi, a vécu ici à Pondaurat.

Entre mon évasion et la fin de la guerre, il y a eu vingt, trente, quarante personnes qui se sont relayées pour s'occuper de moi. Je les croiserais aujourd'hui, je ne les reconnaîtrais pas. Je n'ai jamais su leur nom et je ne reconnaîtrais pas leur visage. Dans des réunions que tu as organisées autour de moi à Bordeaux, des gens m'ont reconnu. Cet homme, par exemple, qui m'a interpellé avec émotion en public – « Boris, nous t'avons caché, tu étais à la maison » –, se souvenait de mon nom, c'est comme ça qu'il s'est rappelé de moi et qu'il m'a donné des détails prouvant qu'il disait vrai, qu'il m'avait recueilli et s'était occupé de moi. Ce que je ne me rappelle absolument pas. Le déni est ainsi un facteur de protection, c'est-à-dire qu'il permet de moins souffrir et d'aller de l'avant, sinon on reste prisonnier du passé. Mais c'est très injuste, parce que ce monsieur que je ne connaissais pas m'a raconté ma vie. Ce qui est encore plus injuste, c'est que je ne pouvais pas le reconnaître. Je l'aurais croisé dans la rue sans lui dire bonjour. Et il y a eu ainsi des milliers de gens, comme lui, qui ont fait la même chose pour des milliers d'enfants en France. Grâce à ces « Justes » chrétiens, il n'y a eu « que » 11 400 enfants juifs brûlés dans les fours. Dans tous les autres pays européens, 9 enfants sur 10 ont disparu.

Ces rencontres avec des témoins de mon histoire se sont produites très souvent. Mais il a toujours fallu des intermédiaires, je n'aurais jamais pu les faire seul. Toi, par exemple, tu m'as permis de retrouver quelques morceaux de mon histoire. Mais celui qui m'a le plus aidé à renouer avec mon enfance, c'est Michel Polac, quand il m'a invité pour mon premier livre, *Mémoire de singe et paroles d'hommes*. C'est à ce moment-là, en 1982 et 1983, que j'ai eu pour la première fois des preuves de mon évasion. C'est ainsi que j'ai retrouvé des témoins de ma vie – Mme Descoubès par exemple – et des gens comme elle qui m'ont très directement aidé. On comprend ainsi que la mémoire est faite de fragments et que les autres participent à nos souvenirs. C'est-à-dire que mon monde intérieur se remplit de ce que tu y as mis et de ce que les autres y ont ajouté. J'appelle ça mon « monde intime ».

Mme Descoubès, c'était une grande dame pour moi. Dans mon souvenir, elle était infirmière et c'est grâce à France 3 Aquitaine que je l'ai retrouvée. Après une interview télévisée, elle a téléphoné en demandant : « Est-ce que ça ne serait pas le petit Boris ? » et elle a laissé son numéro de téléphone. Je l'ai aussitôt appelée, j'ai pris un taxi, l'ai revue après quarante ans et on a confronté nos souvenirs. « Dans ma mémoire, lui disais-je, vous étiez très belle et blonde. » Or, quand je l'ai revue, elle avait quatre-vingts ans, elle était encore belle, mais, bien sûr, avec des cheveux blancs. Elle s'est alors levée sans dire un mot et m'a apporté une photo où elle était en uniforme d'infirmière de la Croix-Rouge avec des cheveux noirs comme un corbeau ! La mémoire traumatique est ainsi faite d'un mélange de précisions et de reconstructions qui sont là pour donner une cohérence au souvenir.

Mme Descoubès était un témoin très précieux de ma vie parce qu'elle savait que je m'étais évadé. Elle était la preuve vivante de ce dont j'étais jusqu'alors le seul à me souvenir. Grâce à elle, j'ai aussi retrouvé d'autres témoins. Une dame, par exemple, qui m'avait vu m'évader et qui m'a donné des détails impossibles à inventer. Curieusement, ce témoignage tardif, qui aurait dû m'attendrir, m'a en réalité beaucoup angoissé, car il a fait ressurgir une peur archaïque. Tant que je croyais que personne ne m'avait vu, je me sentais en sécurité. Mais, avec ce témoin, je prenais conscience que j'aurais pu être dénoncé !

Sans Mme Descoubès, j'aurais été incapable de répondre à de nombreuses questions sur mon enfance. Elle m'a aussi raconté beaucoup de choses sur la libération de Bordeaux, certaines difficiles à comprendre. Six mois avant la libération, elle a reçu une convocation de la préfecture. Tout le monde lui a déconseillé d'y aller et lui a dit de s'enfuir. Elle a préféré se rendre à cet entretien et a été reçue par Maurice Papon qui s'est levé et lui a serré la main : « Nous savons ce que vous avez fait à la synagogue, je vous félicite. » Comment comprendre qu'un fonctionnaire qui a fait arrêter mon père sur son lit d'hôpital, ma mère à son domicile et moi chez Marguerite Farges ait pu féliciter cette femme qui avait refusé d'obéir à ses ordres ? Comment savait-il, lui aussi, que je m'étais évadé, comme Mme Moch, la dame qui m'a téléphoné ? On vit vraiment dans le regard des autres et on en ignore la puissance. L'effondrement nazi avait commencé, cet homme d'appareil préparait-il sa reconversion ?

Par la suite, Mme Descoubès a conservé toutes les photos de moi qu'elle trouvait dans la presse. Elle était bien évidemment très fière de ce qu'elle avait fait. C'est également elle qui m'a permis de comprendre certaines distorsions de la mémoire que j'essaierai de décrire plus loin : par exemple le fait que, dans mon souvenir, celle qui m'avait libéré et qui ne pouvait être que blonde se trouvait près d'une ambulance, alors qu'il s'agissait d'une simple camionnette.

À ce moment de mon histoire, j'étais dans un combat pour la survie. Mon quotidien, c'était compter les moutons, ne pas dire mon nom, me protéger, survivre. Les rêves d'avenir sont apparus dès que j'ai pu avoir une structure affective autour de moi, une famille d'accueil, une charpente stable. À ce moment-là, j'ai pu m'autoriser à avoir des projets d'avenir. Et, dès l'âge de dix ou onze ans, j'ai voulu devenir psychiatre. Faut être drôlement mégalomane pour devenir psychiatre ! Alors, comme j'avais une base solide – Dora –, j'ai pu me retrousser les manches et réaliser une partie de mes rêves. Mais ici, dans la ferme, à Pondaurat, j'étais dans l'immédiateté, dans la survie, dormir, manger, me protéger. Rien d'autre n'était alors possible.

L'éthologie

Tous les enfants en carence affective fonctionnent ainsi : ils surinvestissent la poésie du monde vivant, les insectes, les plantes, les animaux, les êtres humains. Alors, comme pour moi le danger venait des hommes, les seules relations humaines, je les avais avec des animaux. C'étaient les seuls êtres amusants, poétiques, intéressants. Plus tard, dans une nouvelle institution, je passais des journées entières à observer les combats de fourmis, à m'émerveiller du spectacle de ces insectes ailés volant les œufs des congénères qui tentaient de les protéger. Je ne pense pas que les enfants d'aujourd'hui puissent éprouver, avec leurs films fantastiques, une poésie aussi grande que celle que j'ai ressentie devant ces fourmis aux mouvements extraordinaires, tournant, virevoltant, attaquant ou sauvant leurs œufs. Les fourmis, pour moi, c'était Hollywood !

Les fourmis, c'étaient surtout les seules relations que j'avais, avec ces animaux qui ne me jugeaient pas, alors que les êtres humains n'en finissaient pas de me condamner. Pour moi, il n'y avait pas de doute, la sécurité venait des animaux. Alors, plus tard, quand j'ai cherché à comprendre ce qui s'était passé dans ma vie et que j'ai voulu décrocher des diplômes, j'ai redécouvert le plaisir de l'éthologie. À l'époque, on appelait ça la « psychologie animale » et c'était une discipline passionnante ! Car le monde vivant pose des problèmes poétiques fondamentaux, comme la question de la survie, la finalité de la vie, pourquoi la vie plutôt que « pas la vie » – ce sont des problèmes vertigineux ! Or les animaux peuvent nous aider à répondre à ces questions.

J'ai reçu l'empreinte de l'éthologie lorsque j'ai senti, à cette époque, qu'il y avait de l'espoir dans le monde vivant et beaucoup à comprendre à travers notre connaissance des animaux. Alors qu'avec les êtres humains, je n'avais qu'une attitude à adopter : tenter de me protéger. Les adultes n'étaient pour moi que du danger. Probablement que le goût de l'éthologie m'est venu de ce constat. On peut même parler d'*empreinte* parce que c'est une mémoire durable. Mais ensuite il a fallu que je passe des diplômes et, ça, ce fut moins drôle et moins poétique !

Avec l'éthologie animale, j'ai appris à poser les questions fondamentales : existe-t-il un monde de représentation chez les animaux ? Comment fait un groupe pour survivre ? Pour éliminer certains d'entre eux ? Pour se défendre ? Pour coordonner les actions de ses membres et protéger les petits ?... L'éthologie nous montre que ce sont aussi des problèmes humains, même si l'homme est une espèce animale très spéciale. C'est-à-dire qu'on ne peut pas extrapoler les raisonnements de la guêpe au chien, de la pie-grièche au coq héron, ni extrapoler cette pensée à l'homme. Mais notre appartenance au monde vivant permet, par analogie et différence, de mieux préciser la place de l'homme dans son milieu. Lévi-Strauss nous a ainsi montré que si l'on veut avoir une démarche scientifique, il nous faut prendre de la distance avec l'objet d'étude, ce que confirme un proverbe, certainement chinois : « Tu ne peux voir ton nez car il est trop près de tes yeux. » Effectivement, lorsqu'on est trop près des autres, dans la vie intime, dans la vie de famille, on s'engage, on se fâche, on aime, mais on n'observe pas. Il faut un certain recul pour comprendre. Et les animaux nous offrent cette distance qui permet de poser plus objectivement les problèmes du vivant et de l'humain.

Retour à la ferme

Mais oui, c'est là ! J'en suis absolument certain ! Je m'en souviens maintenant : sur la droite l'appentis, le puits là-bas dans le champ. Et le hangar, cette même architecture que les séchoirs à tabac. La porte, je la reconnais... La maison, elle, a changé... les fenêtres sont différentes... mais il n'y a pas de doute. C'est cohérent. Ça ne peut être qu'ici... c'est ici que vivait Adèle, la bossue.

Il n'y a pas de doute, c'est mon puits ! C'est ici que je descendais le seau. Tu te rends compte, le treuil n'a pas changé. Je me vois encore le faire tourner pour remonter l'eau. Le seau était lourd, quatre ou cinq litres. Pour un enfant, c'est très lourd... mais c'est beaucoup plus civilisé aujourd'hui, il y a de vrais arbres, une vraie maison. Sans toi, je n'aurais jamais retrouvé cette ferme.

— J'ai seulement essayé d'écouter tes mots, des mots que tu ne voulais pas entendre.

J'ai une autre explication. Comme la mémoire traumatique est faite d'images hyper-précises et qu'autour de ces flashs on recompose une histoire, toi qui n'avais pas cette mémoire « maladive », tu écoutais ce que je disais. Tu avais alors plus de cohérence et de certitude pour me guider : « Ça ne peut pas être là. Non, plutôt par là ! » C'est pour ça qu'on a retrouvé cet endroit. Alors que moi, seul, je ne l'aurais jamais trouvé.

Tout cela m'amène à beaucoup de questions. La mémoire, ce n'est pas le simple retour du souvenir, c'est une représentation du passé. La mémoire, c'est l'image que l'on se fait du passé. Ça ne veut pas dire que l'on se mente – on se rappelle seulement de morceaux de vérité qu'on arrange, comme dans une chimère. C'est la définition même de la chimère, toutes les parties sont vraies, mais la chimère n'existe pas. C'est ce que je suis en train de vivre. Si tu n'avais pas été là, j'aurais donné une cohérence différente de celle qui a fait revenir ce souvenir.

En fait, je me rends compte qu'il est plus facile de réfléchir que de revenir sur les traces du passé. C'est-à-dire que réfléchir – par opposition à la confrontation au réel – permet de maîtriser l'émotion. La réflexion n'est pas soumise au passé, alors que, si je devais faire revenir des souvenirs, peut-être me remettrais-je à pleurer, peut-être aurais-je peur, peut-être me sentirais-je abandonné... ce que j'ai combattu toute ma vie. Tu ne vas pas me faire ça !

— En définitive, je n'ai fait que suivre ce que tu me demandais.

Je t'ai effectivement demandé à demi-mot de revenir à Pondaurat. Si je ne l'avais pas fait, j'en aurais été soulagé, mais je l'aurais regretté. Et, malheureusement – ou bien heureusement ! –, des regrets comme cela, j'en ai beaucoup. Par exemple, quand j'étais interne en neurochirurgie à Paris, un jour à huit heures du matin, les brancardiers amènent une dame âgée, la posent par terre et s'en vont. Je m'insurge, je dis qu'on ne peut pas la laisser là. On va alors l'examiner dans une salle de consultation quand arrive un grand monsieur de la psychanalyse, il s'appelait Pierre Marty. Comme l'infirmière m'interpelle en disant : « Monsieur Cyrulnik, que fait-on comme examen à cette dame ? », Pierre Marty sursaute, me regarde intensément et me dit : « Votre père s'appelait Aaron, je l'ai connu dans un groupe de militants antifascistes. Venez me voir, j'aimerais vous en parler. » J'ai certainement eu peur de cette rencontre – avec mes souvenirs, avec moi-même – et ne suis jamais allé le voir, mais je l'ai regretté toute ma vie. Or c'était pour me protéger que je ne l'ai pas fait, alors qu'une part de moi ne désirait que cela.

J'ai vécu la même histoire avec Pondaurat, si tu n'avais pas insisté, si tu ne m'avais pas dit :

« C'est facile, tu verras, on va trouver ! », je ne l'aurais jamais fait et je l'aurais amèrement regretté. Ou peut-être même te l'aurais-je reproché.

Personne ne se souvient des mêmes détails d'un même événement, car le souvenir est fait comme un patchwork, il est composé de morceaux de vérité. La première ferme qu'on a visitée était aussi un morceau de vérité. Et celle-ci, la ferme où j'ai réellement habité, c'est un autre morceau de la vérité avec son séchoir à tabac, son puits, le hangar... Toutes les fermes de la région sont ainsi des petits morceaux de vérité, car elles m'évoquent chacune beaucoup de choses. Elles font partie de ma chimère, même si elles ne sont pas l'objet de ma réalité intérieure.

La première fois que je suis venu ici, avec toi, j'ai vraiment eu l'impression de devenir un être comme tout le monde, c'est-à-dire que la part de moi que tout le monde connaît et celle dont je ne pouvais pas parler se rejoignaient enfin. Dès lors, je pouvais parler de mon histoire comme d'une banalité et, par exemple, dire : « Je suis né à Bordeaux, j'ai été arrêté, j'ai été traqué, j'ai été à l'Assistance… » J'étais enfin moi-même. Mon histoire cessait d'être anormale, monstrueuse.

Un autre mécanisme de défense, le déni, consiste à éviter d'évoquer ce qui fait souffrir. Enfant, je me rappelle une très belle gravure de Gustave Doré dans la Bible, une gravure de Loth et de ses filles. Chacun s'en souvient, Dieu dit à Loth : « Ne te retourne pas, ne regarde pas en arrière les incendies de Sodome, sinon tu seras transformé en statue de sel. » Pour moi, à l'époque, ce sel ne pouvait être que le sel des larmes. J'ai donc fait de cette histoire une règle de vie : « Il me faudra toujours aller de l'avant, ne jamais pleurer, jamais me plaindre, ne pas me retourner. » Ç'a été jusqu'à présent ma stratégie de survie, comme tous ceux qui enclenchent un processus de résilience. Ç'a été ma stratégie d'existence… jusqu'à ce que je rencontre Philippe. Il m'a d'abord permis de revenir à Bordeaux et, maintenant, de retrouver Pondaurat. Mon système d'équilibre consistait en une amputation de ma personnalité par légitime défense. Je n'avais, jusqu'alors, jamais fait de retour en arrière, tout en regrettant de ne pas l'avoir fait. Ce n'était donc pas très simple.

On entrait par là. La porte était ici... elle était grande... très grande pour moi enfant... les bottes de paille étaient là, au sol. Ma « chambre » – si l'on peut parler de chambre – était ici, par terre. Je me souviens que je dormais dans la paille avec « le Grand », celui qui m'appelait *Pitchoun*. Je le suivais partout, il me sécurisait. Ma botte de paille était là... et mon travail ici : les moutons, l'eau et... l'âne, celui qui voulait toujours me mordre. Il était ici, attaché à un piquet. Je me rappelle ces courses incroyables que l'on faisait, et cet âne qui filait toujours en direction de l'école... Comme moi, un âne à l'école !

J'entre maintenant dans ma chambre à coucher. Ça fait soixante-trois... soixante-quatre ans... que je ne suis pas revenu dans « ma chambre ».

Ma chambre

Oh ! Il n'y a pas de doute ! Je retrouve tous les détails... C'est exactement ça... on voyait le jour à travers les planches de la soupente... les bottes de paille étaient ici... et, un peu plus haut, la charpente était fermée. Ça n'a pas du tout changé, sauf que c'était plus en ordre qu'aujourd'hui ! Dans la grange, il n'y avait que de la paille, peut-être du tabac, je ne me rappelle pas bien... et quelques outils... les animaux étaient à côté, dans la ferme. Je dormais dans l'angle, contre le mur. Cette porte n'existait pas. C'était ma chambre... notre chambre ! Dans mon souvenir, Adèle dormait dans la maison et nous deux, « le Grand » et moi, ici, dans le hangar. Ensuite... je ne sais pas ce qui s'est passé...

Là, j'ai un retour d'émotion... peut-être le fait de rappeler les souvenirs... j'ai un retour d'émotion parce que la claie était identique... le jour entrait exactement comme ça en laissant un rai de lumière sur les parois du hangar. Là, je ressens ce retour du souvenir.

Ce n'est pas une représentation du passé mais plutôt un détail que je perçois et qui… toc !… fait revenir le passé. L'émotion, elle, est provoquée par ce retour du souvenir. Ce n'est pas de la tristesse… non, plutôt… de l'étonnement. C'est une émotion d'étonnement qui me saisit quand je réalise : « J'ai donc vécu ici ! » C'est la vie… et toutes les vies sont folles !

Ai-je vécu longtemps à Pondaurat ? Je ne sais pas. Je pensais que j'y étais resté quelques semaines ou quelques mois, mais j'ai appris – il n'y a pas longtemps – que j'y avais habité presque deux ans. Donc, le temps d'un enfant, ça met longtemps à s'établir. L'aptitude au récit ne se met en place que vers l'âge de six à huit ans. Et puis peut-être étais-je en retard ? Mentalement ? Probablement, même ! Les repères sociaux, ce sont des repères d'adultes. Pour les enfants, ce qui fait repère ce sont les choses de la vie, les rituels familiaux, les rapports avec les animaux, les événements affectifs. Le reste, ce sont des impressions d'adultes. Je me rappelle très bien ce rai de lumière… ce détail qui a déclenché le

retour du souvenir... et puis les poutres...
C'est extraordinaire, ce sont évidemment les
mêmes... C'est tout de même une belle
chambre à coucher, n'est-ce pas ?

L'arrestation

En 1942, Boris vit caché pendant près d'un an chez la mère de Marguerite Farges, à Bordeaux, près de l'hôpital des Enfants. Si, dans les premiers mois, il est parfois sorti, notamment pour « aller chercher le lait », il lui est ensuite interdit de « se montrer », car les signalements sont alors nombreux, sa présence étant très dangereuse pour les adultes qui le cachent. Dans la nuit du 10 au 11 janvier 1944, il est arrêté par la police française dans la maison de la rue Adrien-Baysselance où le cache Margot. C'est la première fois qu'il y revient depuis soixante-quatre ans.

Il fait nuit.
Il est vingt et une heures.

Je me rappelle, j'habitais ici.

Au début, j'allais chercher le lait en bas, dans la première rue à gauche, une porte cochère. Ensuite, je n'ai plus eu le droit de sortir. J'étais seul toute la journée dans une maison confortable, mais silencieuse et vide. J'étais seul, sans radio et je ne savais pas lire.

Et puis un jour, ou plutôt une nuit – c'était tôt le matin, quand j'ai été arrêté –, la rue a été barrée de chaque côté par des soldats en armes. C'étaient des Allemands, mais j'ai été arrêté par la police française. Il y avait des camions en travers de la rue et puis, devant la porte, une traction avant avec des inspecteurs en civil, des inspecteurs français qui étaient là pour arrêter un enfant de six ans et demi ! J'en ai alors conclu que j'étais quelqu'un de très important, ce qui m'a rendu mégalomane pour le restant de ma vie !

C'était donc au petit matin, cette nuit-là. J'habitais chez les Farges, j'avais six ans et j'étais dans mon lit lorsque j'ai été réveillé par des bruits dans la maison. Il y avait beaucoup de monde dans le couloir. J'étais frappé par cette présence de soldats et d'officiers – et surtout de policiers français en civil, avec leurs lunettes noires, leurs chapeaux et leurs revolvers –, je trouvais absurde qu'ils aient des lunettes noires la nuit. En définitive, les revolvers ne me faisaient pas peur, mais porter des lunettes noires la nuit, ça m'intriguait. J'ai alors pensé que les adultes n'étaient pas des gens très sérieux – je n'ai d'ailleurs pas changé d'avis depuis ! – et, dans le couloir, il y avait aussi des soldats allemands en armes, qui semblaient gênés puisqu'ils regardaient le plafond. Ils regardaient en l'air, peut-être – j'espère – parce qu'ils avaient honte d'arrêter un enfant de six ans et demi. J'espère que c'est ça, mais je n'en suis pas sûr !

Je me rappelle bien de la scène, je la revois encore : la rue barrée par les soldats allemands et des policiers français. Là devant, les tractions avant et, plus loin, des camions remplis de gens. On m'a alors demandé de monter dans une traction. On m'y a poussé et, dans cette voiture, j'ai été surpris, parce qu'il y avait déjà un homme à l'intérieur, qui pleurait. Je le regardais pleurer et j'étais fasciné par sa glotte. Il avait une grosse glotte qui montait et qui descendait. Quand il pleurait, sa glotte s'agitait et je trouvais ça très intéressant. C'est ce qui m'a le plus marqué ce jour-là.

De ce moment qui, pour beaucoup, aurait été terrifiant, je n'ai aucun souvenir d'angoisse, ni le souvenir d'avoir eu peur. Je me souviens seulement avoir pensé que les adultes étaient vraiment absurdes. Tant d'armes, tant d'hommes, tant de camions pour arrêter un enfant ! Je trouvais ça stupide. Je me demande encore si je n'avais pas raison. Dans un monde d'enfant, ce qui est intéressant, ce sont les détails anodins qui permettent de se détourner de la logique des adultes. C'est par exemple les lunettes noires la nuit, c'est la glotte qui monte et qui descend. Ça, c'est intéressant ! Tandis que les motivations politiques, idéologiques ou religieuses, je n'y avais pas accès. Je ne comprenais rien à tout cela, ça ne faisait pas partie de mon monde.

Dans un monde d'enfant, il y a des vêtements, des sourires, la gentillesse, la méchanceté… mais pas d'idéologie, ni même de religion, sauf pour faire une déclaration d'amour à ses parents en partageant leurs croyances. Moi, je n'avais plus de père depuis déjà cinq ans et plus de mère depuis deux ans.

Le lendemain

Hier soir, en revenant sur les traces du passé, j'ai fait exactement ce que je demande de ne pas faire. Dans les théories de la résilience, on explique qu'il faut « faire quelque chose » de sa blessure, transformer le souvenir, remanier le passé, par un engagement philosophique, littéraire, religieux ou politique… de façon à maîtriser la représentation du passé. Si l'on ne fait pas cela, le passé s'impose à nous, on laisse revenir la trace enfouie dans la mémoire. Mais si on la laisse revenir sans la maîtriser, c'est parfait pour déclencher les angoisses. En revivant les circonstances de mon arrestation, j'ai fait revenir la trace du passé sans la maîtriser, sans l'élaborer, sans beaucoup en parler. J'ai laissé revenir les conditions de l'arrestation et ça m'a fait passer une très vilaine nuit. En fait, dans mon enfance, j'ai certainement fait un travail de transformation de mes blessures et, par la suite, j'ai « fait quelque chose » de cette enfance fracassée. Ça m'a rendu complètement psychiatre et, très tôt, je me suis interrogé : « Quelle est cette manière d'établir des rapports entre les humains ? Il faut que je comprenne ce qui se passe dans la vie. »

C'est ainsi que je me suis mis à lire, à rencontrer des gens, à poser des questions. On disait que j'étais bavard comme une pie. Effectivement, je questionnais tout le monde, j'interrogeais pour comprendre, j'interpellais mon entourage : « Je voudrais que vous m'expliquiez comment de telles choses ont été possibles ! » Très tôt, j'ai eu cette « rage de comprendre », ce désir de m'engager psychologiquement, politiquement, humainement, pour essayer de limiter les dégâts et, bien sûr, comme tout le monde, pour empêcher que cela ne se reproduise. Et pourtant, ça se reproduit encore aujourd'hui.

À la synagogue

De père juif et de mère catholique, Yvette
Moch se souvient du 10 janvier 1944 à Bordeaux. Bénévole à la Croix-Rouge et apprenant
que son père venait d'être arrêté, elle se rendit
immédiatement à la synagogue pour le secourir
et se rappelle les hommes et les femmes entassés
sur des matelas posés à la va-vite au milieu de
baluchons et de nourrissons qui n'avaient « ni
couvertures ni oranges », précise-t-elle. Elle se
souvient aussi de ce garçonnet, dissimulé sous la
cape d'une infirmière, qui sera sauvé sous ses
yeux : il s'appelait Boris Cyrulnik.

Quand je suis arrivé ici, enfant, j'étais... très gai. Il y avait beaucoup de monde, il y avait des couleurs, c'était un bel événement. Je pense que ça a dû jouer un rôle pour mon évasion, parce que je parlais avec tout le monde, je repérais les fenêtres, les portes, j'écoutais les adultes et ça a certainement été déterminant dans ma compréhension de la situation et dans la solution que j'ai eu la « chance » de trouver.

On me dit souvent : « Tout ça, c'est parce que tu avais un bon tempérament ! » Ce mot, *tempérament*, nous l'employons dans les théories de l'attachement, mais il n'a rien à voir avec la génétique ou l'inné. Le tempérament traduit le fait qu'au cours des interactions précoces, c'est-à-dire dès les premiers mois de la vie, si l'on est entouré par une mère, par une famille ou un substitut maternel sécure, cet adulte transmet quelque chose de cette sécurité qui lui appartient. Ma mère m'a certainement transmis quelque chose de cette sécurité car, lorsque je suis arrivé ici, à la synagogue, en ce jour de janvier 1944, j'étais très gai.

C'est probablement ce tempérament – qui est une acquisition préverbale très précoce, dès les premiers mois de la vie, peut-être même les derniers mois de la grossesse – qui a fait que j'ai réussi, avec pas mal de chance tout de même, à résoudre ce problème invraisemblable et à m'évader.

Le tempérament, c'est l'apprentissage d'un style de relation. C'est une sorte de « goût », c'est ce « goût du monde » que l'on acquiert très tôt dans la vie. Il y a des gens qui goûtent le monde de manière amère, d'autres qui le goûtent de manière sucrée, il y a des goûteurs gais et des goûteurs tristes, des goûteurs accueillants et des goûteurs hostiles. Et ce « goût du monde » explique nos réactions souriantes ou méfiantes, intellectuelles ou désespérées. Ce goût du monde est une empreinte très précoce.

Le professeur Parens, de Philadelphie, qui lui-même, enfant, s'est évadé à l'âge de onze ans, se souvient qu'il était gai, très gai, au moment de son évasion. Cette gaieté traduit certainement un style relationnel. Mais, au-delà, ce qui explique le déclenchement du processus résilient, c'est l'insoumission. À l'opposé, les enfants qui se sont laissé enfermer et qui sont morts en déportation sont ceux qui ont accepté de se soumettre à une loi absurde. Henry Parens dit très justement que c'est sa mère qui l'a sauvé en lui demandant de s'évader, alors que les autres enfants restaient près de leur mère et mouraient avec elle. Parens a cependant eu la « force » de quitter sa mère – à sa demande – parce qu'elle lui avait donné cette énergie. En ce qui me concerne, je pense que j'ai eu la force de désobéir. En effet, je me rappelle très bien que les enfants étaient groupés autour d'une couverture et de boîtes de lait Nestlé, qui étaient un prétexte pour faire croire à une démarche humanitaire, alors que ces objets étaient en réalité destinés à les attirer pour les diriger vers un wagon et les déporter. Si j'ai eu l'idée de ne pas me mêler au groupe des enfants, c'est certainement parce que j'avais déjà le goût de la désobéissance et que, déjà, je savais qu'on ne doit pas se soumettre à toutes les lois, même si elles viennent des adultes.

Quand on travaille avec des enfants abandonnés, que ce soit en Roumanie, en Colombie, dans tous les pays du monde où les enfants sont délaissés – ce qui est très fréquent –, on se rend compte qu'il existe très précocement de grandes différences d'attitudes entre ces enfants : certains se soumettent et ont peu de chances de s'en sortir par la suite ou, en tout cas, la vie sera difficile pour eux et il faudra qu'on les entoure beaucoup pour leur permettre un développement satisfaisant ; tandis que d'autres sont très tôt de vrais petits rebelles. Mais *rebelle* ne veut pas dire « s'opposer à tout » ! *Rebelle* signifie « se déterminer par rapport à soi ». C'est-à-dire que, même si cet adulte que je connais bien, dit : « Ça, c'est important ! », moi, âgé seulement de trois, six ou onze ans, j'ai ma petite idée sur la question, et je pense autrement ! *Rebelle*, ce n'est donc pas *opposé*, ce peut même être : « D'accord, mais pas jusqu'à la dépersonnalisation ! » Aujourd'hui encore, je suis toujours gêné par ceux qui récitent trop bien la doxa, le discours convenu, les stéréotypes. Les croyants m'inquiètent, les douteurs me rassurent. J'éprouve le même sentiment pour nos collègues qui se soumettent à toute récitation, qu'elle soit biologique, psychologique ou sociologique. Les bons élèves me dérangent. C'est peut-être cette réaction qui explique mon cheminement atypique.

Parens avait donc décidé de s'évader parce que sa mère lui avait donné cette force et le lui avait explicitement demandé, tandis que, moi, j'ai compris très tôt qu'il ne fallait pas écouter les adultes, parce que si on le faisait, on mourait. C'est ainsi que, très vite, je furetais partout en faisant le pitre, pour trouver des solutions à la vie.

L'officier allemand

Je me rappelle très peu l'arrivée à la synagogue. Si, à l'entrée, au milieu, il y avait un officier allemand. Comme dans les mauvais films, il se tenait les jambes écartées avec une badine. Et puis il y avait deux tables et, à l'une d'entre elles, quelqu'un que je connaissais. L'officier allemand orientait vers une table ou vers l'autre et j'entendais les adultes discuter autour de moi : une table condamnait à mort, mais on ne savait pas laquelle ; l'autre condamnait au travail forcé, à la prison, à la survie, mais on ne savait pas non plus laquelle. Chacun avait son interprétation. À l'une des deux tables, j'ai donc reconnu celui qui notait les sélectionnés pour vivre ou pour mourir, car je l'avais déjà vu chez Margot quand il lui avait rendu visite en uniforme de scout. Quand je me suis approché de lui, il a sursauté et a aussitôt quitté la table. J'ai alors compris que c'était lui qui m'avait dénoncé.

Tous les soirs, un soldat allemand venait s'asseoir auprès de moi. Je crois me rappeler qu'il avait un uniforme noir et une casquette plus élaborée, un officier peut-être. Il me montrait des photos d'un petit garçon de mon âge et ce soldat me faisait comprendre par gestes que son fils me ressemblait. Je ne comprenais pas un mot de ce qu'il me disait, mais je saisissais pourtant ce qu'il voulait me dire. Je me souviens de l'étonnement que j'ai éprouvé en pensant que cet homme qui organisait ma mort venait me parler gentiment.

Cette scène m'est souvent revenue en mémoire, sans angoisse, comme une énigme. Les hommes peuvent donc se conduire ainsi ! Au moment du transfert vers les wagons pour Drancy, le même soldat donnait des ordres qui menaient à la mort.

Je savais que nous allions mourir, car, comme je fouinais partout, j'avais entendu parler les livreurs des cartons de boîtes de lait condensé. Ils disaient que les wagons qui allaient nous emmener étaient scellés. Comme ils le disaient d'un air grave, je comprenais que c'était grave. Et comme je ne connaissais pas le mot « scellés », je pensais que les wagons étaient « salés » et que ce devait être une bien cruelle torture. Il fallait que je m'enfuie.

Grande beauté

Je me souviens donc avoir éprouvé un sentiment de grande beauté quand je suis arrivé à la synagogue. Dans mon souvenir, la couleur des tentures me paraît cependant plus vive qu'aujourd'hui. Je me souviens aussi d'un grand sentiment de gaieté parce qu'il y avait du monde et des lumières. C'était pour moi un bel événement car, à six ans et demi, le mot *mort*, on ne sait pas encore ce que ça veut dire. On n'est pas adulte à six ans et demi. Qu'est-ce que ça peut bien vouloir dire « la mort » ? Est-ce qu'on part pour un long voyage, est-ce qu'on va revenir bientôt ? Je n'en avais pas la moindre idée, donc je trouvais ça très beau et très gai.

À l'entrée, il y avait les deux tables et l'officier de sélection qui orientait les gens à droite ou à gauche. Il y avait aussi des barbelés au milieu pour séparer les groupes que l'on avait formés. J'avais été orienté dans un coin où, dans mon souvenir, il y avait une estrade et des chaises en velours rouge. Ils n'existent plus dans la réalité d'aujourd'hui, mais je les ai vus sur des photos d'archive que j'ai pu consulter et qui ont confirmé mon souvenir.

Il y avait des soldats en armes, beaucoup de bruit, un incroyable brouhaha et beaucoup de monde, des centaines d'hommes, de femmes et d'enfants entassés, couchés par terre. De temps en temps, la porte s'ouvrait et des dizaines d'autres arrivaient, puis la porte se refermait. Elle se rouvrait, des dizaines d'autres entraient... Et cette multitude n'en finissait pas de parler. Dans mon souvenir, ce n'était que du bruit, des paroles, beaucoup de gens et des soldats en armes partout.

Je ne saurais dire combien de temps cela a duré, parce que la durée, pour un enfant, ce n'est pas le temps. Un enfant peut très bien éprouver un sentiment de durée quand il s'ennuie et de vivacité quand tout va bien, quand il s'amuse. Le temps est un repère social, mais, à six ans et demi, le social n'existe pas encore de façon formelle. J'ai mis longtemps à savoir à quelle époque de l'année ça s'était passé. C'est un document d'archive qui m'a révélé que c'était en janvier, parce que, pour moi, c'était la nuit, tout simplement.

Du lait et une couverture

Dans mon souvenir, il y avait une dame qui rassemblait les enfants autour de la couverture. Je me souviens clairement des cartons de lait Nestlé parce qu'elle leur distribuait des boîtes et que c'était bon. Après la guerre, et pendant très longtemps, je n'ai plus pu en boire parce que ce lait avait pris, pour moi, une signification de mort. Mais à cette époque, en 1944, le lait Nestlé était une friandise utilisée comme un appât. Ces boîtes de lait et cette couverture servaient à regrouper les enfants. Comment ai-je pu comprendre cela ? Je ne sais pas si je l'ai compris, je me souviens seulement avoir eu la conviction que je ne voulais pas appartenir à ce petit groupe. Je me suis alors réfugié sur un fauteuil à l'opposé de l'endroit où étaient les enfants. Cette stratégie « inconsciente » a certainement joué un rôle dans mon évasion parce que les enfants, qui étaient tenus ensemble, ont été faciles à emmener et faciles à enfermer. Alors que, moi, je ne faisais pas partie de ce groupe.

Cependant, même si le mot *mort* ne signifie pas la même chose pour un enfant que pour un adulte, je me suis très vite rendu compte que c'était grave. Et j'ai donc très vite compris. J'avais déjà fait plusieurs tentatives d'évasion, qui avaient échoué. J'avais suivi des adultes tentant de s'évader par les fenêtres, mais ça n'avait pas marché. En fait, je suis certain que j'avais compris ce qui m'attendait.

Comment ai-je ensuite réussi ? Je me le demande encore. Comme les fenêtres étaient trop hautes, bien surveillées et que j'étais petit, j'ai trouvé la solution de me faufiler, de grimper et de me cacher dans un petit trou. Et ça, ça a marché ! Je me suis caché dans les toilettes, jusqu'à ce que tout le monde soit parti.

Les toilettes

À l'époque, ce n'était pas beau comme ça, pas aussi luxueux. Je me souviens qu'il y avait des box avec des portes tout en hauteur. Et à l'intérieur, derrière la porte, des Z en planches qui consolidaient le panneau de bois. Dans mon souvenir, il n'y avait pas de siège et c'était plus étroit qu'aujourd'hui. J'ai donc grimpé le long du Z et je me suis coincé sous le plafond, en appuyant les pieds sur une paroi et le dos contre le mur d'en face, parce que les box étaient très étroits. Et je suis resté ainsi, coincé sous le plafond pendant assez longtemps. Quand les soldats, ou la Gestapo, venaient, ils ouvraient la porte, vérifiaient que les toilettes étaient vides, mais aucun n'a pensé à lever la tête !

Ensuite, j'ai attendu qu'il n'y ait plus de bruit et, quand la synagogue est redevenue silencieuse, je me suis laissé tomber et je suis sorti tranquillement, puisque tout était ouvert. Des soldats étaient en train de repartir. En face, un groupe de Français discutaient, probablement des gestapistes. Mais personne ne m'a rien dit. Pas un ne m'a empêché de m'enfuir. Je suis passé à côté d'eux, tranquillement. En réalité, je ne sais pas si j'étais tranquille. Aujourd'hui je dis « tranquille » mais, à ce moment-là, qu'est-ce que j'ai pu ressentir ? Je sais que je suis passé à côté d'eux, que la porte était ouverte, que tous les prisonniers étaient déjà dans des cars, partis vers la gare Saint-Jean, vers Drancy, vers Auschwitz... Moi, il m'a suffi de sortir.

Les images – et les mots surtout – persistent longtemps, alors que les émotions sont par définition un « mouvement ». Elles ne durent pas. Une émotion, c'est rapide, la colère par exemple… Dans ma mémoire, les images et les mots sont restés très précis, mais je n'ai aucun souvenir d'émotion, ce qui n'est pas logique, car j'ai bien dû en avoir.

Le refus de la résignation

« La résilience, selon Cyrulnik, c'est un refus de la résignation à la fatalité du malheur. »

Edgar Morin,
Le Monde de l'éducation, 2003.

Aujourd'hui, en venant à la synagogue, j'avais peur… et je suis étonné de constater que je parle sans angoisse, probablement parce que ce regard intérieur me permet de parler de moi à la troisième personne. Récemment, j'ai pu rencontrer des petits Vietnamiens, des petits Colombiens qui ont vécu des expériences comparables à la mienne. J'ai pu parler avec eux, je me sentais capable de les comprendre. Mais j'étais extérieur à leur souvenir, ce qui me permettait de tenir l'émotion à distance, donc de réfléchir. Tandis qu'ici, en présence de tiers, je maîtrise mieux l'émotion et – étonnement – j'ai peu d'angoisse, alors que, logiquement, je devrais en avoir !

Si je n'ai pas présenté de syndrome psychotraumatique, je pense que c'est parce que j'ai réussi à m'évader et que j'ai, de cette journée de janvier 1944, un sentiment de réussite, le souvenir d'avoir fait un exploit, une prouesse. Chaque fois que j'ai repensé à ce qui s'était passé, je me suis dit : « T'inquiète pas, ça va aller, il y a toujours une solution », et je repensais à cette scène des « pissotières ». C'est comme ça que je suis devenu un bon grimpeur. Par la suite, je pouvais monter partout où je voulais en me disant tout simplement : « Si tu grimpes, tu pourras toujours t'en sortir. La liberté est au bout de ton effort. » Et quand je repense à ces moments terribles, c'est toujours avec un sentiment de victoire. Car, même enfant, je pensais ainsi : « Ils ne m'auront pas, il y a toujours une solution. » Et ça a probablement joué un rôle important dans le fait que je n'ai pas eu de syndrome psychotraumatique, ce dont les adultes autour de moi s'étonnaient beaucoup. Ils me questionnaient sans cesse : « Mais, tu n'as pas d'angoisses ? » « Pas de cauchemars ? » Eh bien, non !

Le sentiment de victoire est une reconstruction après coup. Sur le moment, « sur le coup », je ne me rappelle pas très bien… seulement de quelques images, de mots… mais d'aucune émotion. Ça, c'est le « coup » ! Dans l'« après-coup », j'ai ressenti un sentiment de liberté possible et beaucoup d'enfants qui ont vécu des situations identiques m'ont expliqué que, quand ils se rappelaient qu'ils avaient pu maîtriser une partie de la situation, ça leur avait donné une grande confiance en eux. Ce sentiment de victoire peut nous être procuré par un acte, par une représentation, mais aussi, plus tard, par un engagement politique, philosophique, religieux, intellectuel… Car ce sentiment de victoire peut également être « construit » après coup. Beaucoup de gens qui, sur le moment, ont été paniqués, désespérés, mais n'ont pas eu cette sensation victorieuse, sont plus tard devenus psychologues, philosophes, romanciers ou cinéastes. *A posteriori*, ils ont maîtrisé l'émotion en comprenant ce qui s'était passé. Ils ont eux-mêmes construit ce sentiment de victoire dans l'« après-coup ».

De l'émotion qu'on éloigne, on fait une représentation, c'est-à-dire qu'on « représente » dans sa mémoire un événement passé. La résilience ne peut donc s'effectuer que dans l'après-coup. Sur le coup, on souffre, on panique, on est hébété, on a peur, on n'a pas peur, on se défend, on se débat comme on peut. Mais, dans l'après-coup, quand la représentation est possible, quand le milieu familial ou culturel permet de faire ce travail de représentation, on cherche alors des mots, on tente de convaincre, on élabore des stratégies psychologiques pour que le trauma ne revienne plus. C'est cette mobilisation qui met l'émotion à distance et permet d'être maître de la situation. On fait ainsi un travail de résilience. Car l'émotion se transforme, se métamorphose. Beaucoup d'anciens blessés, d'enfants traumatisés m'ont expliqué qu'ils avaient tenté de retrouver des archives sur les circonstances de leur souffrance. Ils ont alors pris du plaisir à comprendre ce qu'ils avaient vécu et ont métamorphosé leur souffrance en œuvre philosophique, en création théâtrale… Beaucoup de « traumatisés » de la vie mettent en scène au théâtre ce qu'ils ne peuvent pas exprimer directement. C'est dur de dire à quelqu'un : « Voilà ce qui s'est passé, voilà ce qu'a été ma vie. » Moi, ça fait soixante-quatre ans que je n'ai rien pu dire. C'est la première fois que je le fais.

C'est difficile de s'adresser à quelqu'un pour expliquer ce que l'on a vécu. Mais si on passe par le biais de l'œuvre d'art, par le détour du film, de la pièce de théâtre, de l'essai philosophique ou du travail psychologique, vous devenez le tiers dont vous pouvez parler : vous donnez des indications à ce comédien qui joue ce qui vous est arrivé. Vous avez ainsi résolu l'équation impossible : « Je ne peux pas dire ce qui m'est arrivé, parce qu'émotionnellement c'est trop dur et que vous n'allez rien comprendre. En fait, il n'y a que moi qui puisse me comprendre. » En revanche, si je fais le détour par l'œuvre, si j'éloigne l'information, je communique mieux avec vous parce que je ne suis plus seul au monde avec mon fracas intérieur, avec ma blessure invraisemblable. Parce que j'ai réussi à en faire une représentation que l'on peut maintenant partager. On habite enfin le même monde.

À ma sortie de la synagogue, je suis arrivé devant la porte. Elle était ouverte et je garde, là encore, un sentiment de grande beauté de cette porte ouverte, parce qu'il y avait dehors un soleil éclatant et que c'était le symbole de la liberté.

Jusque-là, mes souvenirs sont précis, au détail près, à l'image près, au son près. Je me rappelle très nettement ce rai de lumière qui entrait dans la synagogue. Mais, à partir de cet instant, j'ai un mélange de vrais et de faux souvenirs. Pour moi, c'est un mystère que ni les soldats, qui étaient en train de ranger leurs armes pour partir, ni les hommes de la Gestapo ne m'aient rien dit. Il y avait également plein de monde sur le trottoir d'en face. Alors, quand je suis arrivé devant eux, je me suis demandé : « Qu'est-ce que je fais ? »

Dans mon souvenir, le perron est immense, il y a de longues marches à descendre. Dans mon souvenir, la cour est une esplanade très longue, très large. Dans mon souvenir, cette grille… – tiens, cette grille, je ne l'ai pas dans mon souvenir. Dans mon souvenir, le long du trottoir, il y avait une ambulance et, près de cette ambulance, Mme Descoubès – elle était donc infirmière de la Croix-Rouge –, en train de secourir une dame qui avait reçu un coup de crosse, qui allait mourir. Et elle m'a vu. Comme il y avait beaucoup de monde, ils ne m'ont pas remarqué, ont ramassé la dame et, dans mon souvenir, c'est à ce moment-là que Mme Descoubès m'a fait signe. J'ai alors couru et plongé sous le matelas sur lequel on avait étendu la mourante.

Quand je vois aujourd'hui que l'esplanade est minuscule, le perron tout petit et que cette grille s'ouvrait pour laisser passer l'ambulance, tout ceci me semble incroyable. Depuis, la dame blessée m'a téléphoné, car elle n'est pas morte ! En fait, sous le coup qu'elle avait reçu, sa rate avait éclaté, elle a été opérée et a survécu. En définitive, si cette dame n'avait pas manqué mourir d'une hémorragie interne, elle aurait été déportée à Auschwitz.

Dans mon souvenir, un autre détail m'intriguait : au même instant, un officier allemand était monté dans ce que je croyais être l'ambulance, puisqu'une infirmière officiait à côté. Or, quand j'ai rencontré Mme Descoubès, elle a éclairé ma mémoire : « Mais non, m'a-t-elle dit, ce n'était pas une ambulance, c'était une camionnette ! » Pour des raisons de cohérence, j'avais donc eu besoin de reconstruire un souvenir logique : puisqu'elle était infirmière, ce véhicule ne pouvait être qu'une ambulance. Et puisqu'un officier allemand était monté dans la camionnette, qui alors s'était éloignée, il fallait logiquement que ce soit lui qui ait donné le signal du départ. Là encore, ma reconstruction ignorait la réalité. Lorsque la dame qui avait été sauvée en risquant de mourir m'a téléphoné, elle m'a détrompé : « Pas du tout, cet officier n'a donné aucun ordre. C'était le capitaine Meyer et il est parti en disant : "Qu'elle crève ici ou ailleurs, ce qui compte, c'est qu'elle crève !" » Or je n'ai pas du tout le souvenir de cela. Au contraire, dans le remaniement de mon histoire, j'avais probablement besoin de penser qu'il y avait toujours des hommes indulgents, quelles que soient les circonstances. Je n'ai donc pas entendu cette phrase – ou je l'ai oubliée – et cet oubli a donné une cohérence à mon récit. En fait, c'est le faux souvenir qui a rendu mon récit cohérent, puisque le réel était folie. Il m'avait donc fallu trouver une cohérence partageable : puisque c'était une infirmière, le véhicule était naturellement une ambulance et puisque l'ambulance était partie, cet officier ne pouvait être qu'un gentil Allemand. Or rien de tout cela n'était vrai !

J'ai très souvent entendu des enfants, ou des adultes, m'expliquer leur survie de cette manière. Je pense que le remaniement du passé est un facteur de résilience et que ceux qui n'adoptent pas un tel point de vue restent prisonniers de leur histoire. Ils ne voient et ne vivent que l'horreur du réel, la blessure intérieure, l'inquiétude, l'angoisse. Ils sont à jamais prisonniers de leur passé, alors que ces faux souvenirs, mêlés à des traces souvent plus précises que les archives, témoignent d'un remaniement des représentations qui permet au sujet de retrouver espoir : « Tous les hommes ne sont pas des salauds », « Il y a toujours une solution possible. Il ne tient qu'à toi d'être libre. » Beaucoup d'enfants abandonnés me confirment que, dans ces moments terribles, ils étaient toujours à l'affût de la beauté, même au milieu des pires atrocités. Au Rwanda, au paroxysme de l'horreur, des gens écrivaient des poésies. En plein drame, ils allaient voir des écrivains publics pour leur dicter l'atrocité de ce qu'ils vivaient de façon que leurs petits-enfants puissent un jour lire ce qui s'était passé.

Il y a des gens qui ont le talent de provoquer la chance. Moi je n'en ai pas toujours eu. Ce jour-là, oui, on peut dire que j'ai eu de la chance. Mais je l'ai provoquée, je l'ai fait sourire, la chance... et elle m'a souri. Dans la vie ça n'arrive pas toujours. Mais, ce jour-là, la chance m'a souri.

Table

DU MÊME AUTEUR

CHEZ ODILE JACOB

Les Nourritures affectives, 1993 ; « Poches Odile Jacob », 2000.
L'Ensorcellement du monde, 1997 ; « Poches Odile Jacob »,
    2001.
Un merveilleux malheur, 1999 ; « Poches Odile Jacob », 2002.
Les Vilains Petits Canards, 2001 ; « Poches Odile Jacob », 2004.
Le Murmure des fantômes, 2003 ; « Poches Odile Jacob »,
    2005.
Parler d'amour au bord du gouffre, 2004 ; « Poches Odile
    Jacob », 2007.
De chair et d'âme, 2006 ; « Poches Odile Jacob », 2008.
Autobiographie d'un épouvantail, 2008 ; « Poches Odile
    Jacob », 2010.

CHEZ D'AUTRES ÉDITEURS

Mémoire de singe et paroles d'homme, Hachette, 1983.
Sous le signe du lien, Hachette, 1989.
Naissance du sens, Hachette, 1991.
Si les lions pouvaient parler (dir.), Gallimard, 1998.

Cet ouvrage a été transcodé et mis en pages
chez NORD COMPO (Villeneuve d'Ascq)

N° d'impression : 907313
N° d'édition : 7381-2471-13
Dépôt légal : mars 2010

Achevé d'imprimer en août 2019
sur les presses de La Nouvelle Imprimerie Laballery (58)
Imprimé en France

La Nouvelle Imprimerie Laballery est titulaire de la marque Imprim'Vert®

Inscrivez-vous à notre newsletter !

Vous serez ainsi régulièrement informé(e)
de nos nouvelles parutions et de nos actualités :

https://www.odilejacob.fr/newsletter